KB177986

여름증발설

유현

—

변함없는 낭만으로

차례

몽상

인생도피
과대포장
눈을뜨고
다시감기
흐린손을
꼭붙잡기
눈을떠도
놓지않기

질량론

맞닿은 두 개의 심장이
더없이 무겁습니다.

망상 속 질량 이론

심장 두 개의 밀도가 우주보다 과중했습니다.
심장 두 개의 파동이 바다들을 내몰았습니다.

우리가 세상을 실종시켰습니다.

영면법

사랑을 시간에 가둬보기

소실이 영원의 손을 붙잡습니다.

우리는 감히 영생을 잡을 것입니다.

소실된 영원
영원한 소실

이게 우리의 영면법 입니다.

태양

맨 정신으로
환일을 좇습니다.

백일몽 환일을 좇느라
당신의 태양을 좇았습니다.

그래도 세상은 여전히 밝습니다.
태양이 버린 건 저밖에 없습니다.

주야

백야의 사계를 보았습니다

평생의 극야를 묻어둔 곳은
언제나 눈이 쌓입니다.

남극 바다 깊은 곳에
영원한 여름이 있습니다.

제 세상의 중심이
지구가 아니라
당신인걸
태양도 모릅니다.

향수

고유한 향을 갖는 것들이 있다.

불안정한 청춘

내려앉은 여름

낡은 미련

오랜 장마

죽은 계절축

죽은 문장들

나

너

순애

정말 아름다운 사랑을 하려면
우리는 모두 눈을 감아야 합니다.

눈을 감고
귀를 막고
입을 물고

차라리 심장을 멈춰야겠습니다.

예쁜 사랑은 없다는 말입니다.

그래도
그 애는 정말 예뻤습니다.

화계

어떤 꽃을 과히 사랑하면
그 꽃의 계절도 사랑합니다.

피지 않은 꽃을 사랑했습니다.
녹지 않은 봄을 사랑했습니다.

끝내 피지 못한 꽃을 위로하며
만개하는 겨울에서 살아갑니다.

비애

꽃도 그들의 사랑이 있습니다
이 세상에 꺾여도 좋다던 꽃이 어디에 있습니까

하지만

투명하게 전시된 관 속에서
굳어진 입꼬리는 내려올 기미가 없습니다

불행히도 그 꽃이 옳았습니다.

여름

여름은 생각보다
더 많은 것을 달궈내고

버텨내지 못한 것들이
결국 증발합니다

그 병약한 애정들을 가혹히도 내던지고
나약한 청춘들은 손을 놓는 법을 몰랐으니

우습게도 여름은 그날 증발했습니다.

천화

겨울에 피는 천화는
낙화 없이 녹아드는 것이라

겨울을 지낸 나무엔
얼어붙은 소원들이 사는 것입니다.

얼려둔 소원을 잊지 마세요.
여름은 그들을 녹여줄 마음이 없습니다.

직감

불확실한 직감에는
근거 모를 맹목 같은 것이 생겨서

맨손으로 한여름을 잡아채고.
맨몸으로 소나기에 덤벼들고.

뒤늦게 자문하면

그냥 사랑이었다고.

융해

누그러진 여름에
녹아내린 것들을

흘려낼 수 없어서
하수를 구르는 사람들

익사한 잔해들을
추적추적 덧발라 뒹굴면서도

빳빳이 입꼬리를 올리고
그리도 행복하게 웃는다.

애도

구차한 사죄로 생매장을 해놓고

버젓이 살아있는 계절의 장례를 치렀으면서

그리도 많은 계절을 묻었으면서

시간이 그들을 죽인 거라고.

유월은 억울한 누명을 덮어쓰고
진범은 방금 여름 하나를 산속에 묻었습니다

상별

나무의 그늘은
죽은 꽃의 무덤

열여섯 번째에서야
간신히 조문을 갑니다.

애도 없는 애도 물결
못자리가 들끓습니다.

사후

너는 사후엔 무엇을 믿었나

너는 무엇도 믿지 않았겠지.

그저 한 줌 먼지로 녹아들었겠지.

나는 믿을 거야

나는 너를 믿고서
기꺼이 지구에 우리를 새길 거야

부식

죽기 전의 것
죽어가는 것
이미 죽은 것

저는 셋 다 사랑했습니다.

기적도 이변을 만들지 못하고
사랑도 예외를 붙들지 못하고

부식합니다

신열

끈질긴 빗방울에 모조리 젖어들고
맹목적인 사랑들은 결국 앓아눕습니다.

장마가 유독 더운 날에는
부단한 청춘이 조금 더 앓았습니다.

상성

상극 둘이서

하나는 당장 죽어버릴 것처럼 굴고
하나는 영생을 살 것처럼 굴면서도

우악스레 제 명들을 이어가니

어찌 보면 상성일지도 모르겠습니다.

추측

왜 항상
아름답다고 굳게 믿은 것은
사람을 한없이 추하게 만드는지

검붉게 그을려
너덜거리는 팔을 매만지다

네 손의 나직한 화상을 보고

너도 날 사랑했나
싶은

동결

그리도 해를 바랐으면서

일그러진 환절기에

그 옅은 햇빛이
뭐가 그리 뜨거워서

그 고운 꽃잎이
뭐가 그리 무거워서

죽은 낙엽처럼 바스러지는지.

사실 너도 이미 가을에 죽은 것인지.

위변

기울어진 새벽을 가져와서
하릴없이 아침을 쥐어놓습니다.

사랑을 하면
입 없이도 거짓을 고할 수 있습니다.

수회

부유하는 수회들이
수채 한번 해보겠다며

악을 쓰고 올라와서는
연안에서 손을 놓아버린다.

그 바다의 모래는
양회색의 빛을 띈다.

섬광

유독 하늘이 검은 날에
네가 유난히 빛이 났다.

그 별은

단 한 번도 빛을 낸 적이 없다.

청람

청람이 숨막히게 일렁인다면
주변의 해파리를 찾아보세요.

우리의 수은주는 빈번히 뒤집힙니다.

맥박

낭만은 언제나 너무 많은 것들을 허락하고
청춘은 그들이 전부 책임질 것처럼 굽니다.

우정은 때때로 과분한 약속을 품고
사랑은 너무도 섬약히 속삭입니다.

하지만

낭만이 짓밟히고
청춘이 주저앉고

우정의 타약을 마주하고
사랑을 본질을 깨달으면

우리는 서툴고 어리석은 청춘의 대가를 치르게 됩니
다.

청춘 끝자락에 꺾어 달아놓은 감정들이

심장 깊숙이 박혀
멈추기 전까지 쓰라린 맥을 흘리겠지만

그럼에도 우리는 또다시 맥박을 새겼습니다.

사월

달에는

몇천 개의 염원과
몇천 개의 애정과
몇천 개의 원망이 있을 테지요.

제가 달이었다면

이미 그들을 모조리 죽여놓았을 겁니다.
절대 밤을 순순히 보내주지 않았을 겁니다.

왜 그런 끔찍한 것들을 나에게 떠넘기느냐고
증오하고 저주하고 원망했을 겁니다.

하지만 우리의 달은 그렇지 않습니다.

어떤 가증스러운 것을 내놓아도
묵묵히 받아들고 제 자리를 지킵니다.

여전히 밤은 깨지고 아침은 뜨니까요.

죽은 사람을 살려달란 어처구니없는 염원도
훤히 초종이 보이는 바보 같은 애정도
차마 꺼내지 못해 애먼 곳에 쏟아내는 원망도

달은 정말 이해해 준 걸까요?

그럴 리가 없지요.

달의 사랑은 진즉 죽었습니다.

죄악

얄팍한 구원으로
구태여 원한을 산 사람들이
작열하는 밤마다 쓰러져 나갑니다.

얄팍한 구원으로
절실히 원한을 품은 사람들이
기어이 칼을 쥐고 달려듭니다.

질식하는 열기에서 도망치듯
쏟아지는 피웅덩이 안에서는

얄팍한 죄악이 구원을 벗습니다.

대속

지어둔 죄악은 너무나도 많고
속죄할 이유는 어디에도 없습니다.

사랑은 중죄이지 않습니까.

대속하려 만들어준 구실이라면
신은 어제 죽었습니다.

이음동의어

상향하강

하향상승

굳이 가져보기로 하고선

우습게도 둘 다 전자를 집었다.

추락

당장 울 것 같은 눈이
끝내 눈물을 떨군다.

가혹한 중력이
오늘마저 울린다.

두 개의 지구는 적당한 거리를 몰랐다.

애정

애정(愛情)은 애정(哀情)을 동반한다.

조잡하게 스며든 애정을 게워내면서도
실증없는 연명적 위안을 욱여넣습니다.

비친 것이 같아 속았습니다.

그리고 속인 것은 항상 그 자신임을.

절망

절실히 바랐습니다.

당신은 사람을 절망했나요
당신은 무엇을 절망했나요
당신은 어째서 절망했나요

아니면 절망인가요

저는 전부 당신입니다.

홍엽

퇴색하는 여름에는

비명은 음성을 잃고
발악은 미동조차 내질 못하니

남겨진 혈색은
결국 여름을 반증할 수밖에

조화

국화에서 가시가 나더니
장마철엔 그 잎이 붉어진다.

그렇게 여름을 좋아하더니
조화까지 장미를 올려놨다.

선견

앞날을 이미 보고서도

기어코 어리석은 짓을 택하고
되지도 않을 고집을 끝까지 물고 늘어지다가

그제야 맞는 예언 한번 말해주면

네가 그렇게 야속하고도
그게 그렇게 억울했다고.

운명

운명을 그토록 원망하다

우리도 필연이었다는 말에

얄팍하게도 다시 운명을 믿습니다.

침식

물들였나
물들었나

서로 빠진 것을 모르고
찾아내기 급급하고.

잔상을 지우겠다고
스스로 잡혀들고선

그물 속의 재회마저도
왜 우리는 다시 만났느냐고.

사인

모두 각자의 사인이 있기 마련입니다.

동반자살이 아닙니다
동반 침몰의 타살입니다.

그 바닷속의 잠겨있는 결심은

자신들이 서로에게 사인인 것을
부정하는 애정들의 사연입니다.

과호흡

밖에서도 안 하던걸
바다에서 한다.

살고 싶던 건지
죽고 싶던 건지
바다가 되고 싶던 건지

침몰은 항상 예정보다 이르다

단절

가져본 적 없는 것을 버리면
잃어본 적 없는 것을 잃는다.

심해 밑에서
너를 버렸다.

역설

잡아야 할 것을 놓치고
놓아야 할 것을 버티니

손에 남은 것들은 형태조차 갖추지 못합니다.

이미 죽은 것을 부여잡고
뜨지 않을 밤을 지새우는 것입니다.

그러면서도

악착같이
살아있다고.

애원

죽은 사람을 되살릴 수 없듯이

죽은 사랑도 되살릴 수 없어요.

그럼에도 남겨진 사람들은

모두 계절의 끝에서 부질없는 애원을 부르짖습니다.

부질없는 애원을

읊어볼 기회를 달라며

아마도 평생을 짖을 겁니다

도피

함께 도망치기로 하고서

우리는 지구 반대편에서 만났다.

이 지구에는
나락한 낙원이
두 개나 있다.

애증

사랑이라 말하자니 이미 죽은 것이고
증오라고 말하자니 이미 묻은 겁니다.

애증이라 불러보면

사체들이 통곡하고
마른 흙이 썩어나니

위패는 비워두는 것이 좋겠습니다.

외면

뒤따르는 부작용은

어수선한 두 눈에서
탁한 눈물이 차갑게 흐르고

감춰둔 원망이 내몰려
끝끝내 구역질이 납니다.

그럼에도

제가 무엇을 품었는지를
도저히 알 수가 없으니

부작용은 망각입니다.

의문

바다는 정말 푸른가
작은 바다는 창백히 고인다.

우리는 정말 그쳤나
과한 마음은 여전히 넘친다.

유일

유일한 것이
회멸되어도

나는 여전히 숨을 쉬고

유일은 다시 제 이름을 돌려받는다

부제

여름증발설

발 행 | 2024년 05월 20일
저 자 | 유현
펴낸이 | 한건희
펴낸곳 | 주식회사 부크크
출판사등록 | 2014.07.15(제2014-16호)
주 소 | 서울특별시 금천구 가산디지털1로 119 SK트윈타워 A동 305호
전 화 | 1670-8316
이메일 | info@bookk.co.kr

ISBN | 979-11-410-8482-0